JN046703

# ねこねこがっこう

苅田澄子・作
つちだのぶこ・絵

にちようび。こうえんで、ゆうくんが　としくんと
けんかを　しています。
「としくん、きゅうしょくとうばんの　とき、
ぼくの　カレーに　にんじん　いれたよね」
「ゆうくんに　いれないでって　いわれたから
いれてないよ」
「はいってたよ。としくんの　いじわる！」
「ゆうくんの　うそつき！」
ふたりは　ようちえんの　ときから　なかよしで、

けんかなんて　したことが
なかったのに。
「としくんなんか
だいっきらい！」
ゆうくんは　こうえんを
とびだしました。

「ぼくが　にんじん
きらいだって　しってるのにさ」
ぷんぷんしながら
あるいていると、へいの　うえに
ねこが　いました。ゆうくんの
うちの　『にゃお』です。
「おーい　にゃおー」
ゆうくんが　よぶと、ぴゃっと　とびあがって
おしりを　むけて　とっとこ　はしりだしました。

「どこ　いくのー？」

としくんと
あそべなくなって　ひまな
ゆうくんは、　にゃおを
おいかけることに　しました。

にゃおは
へいから　へいに
とびうつったり、しげみに
もぐったり。おいかけるのが
たいへんです。やがて、
しらない　いえの　にわに
はいって、みえなくなりました。
「あーあ、いっちゃった」
ゆうくんが　あきらめて

かえろうとすると、
へいの　こわれたところから
そーっと　でてくるのが
みえました。
「あ、いた　いた」
ゆうくんが　また　おいかけていくと、
「あれ？　がっこうに　きちゃった」

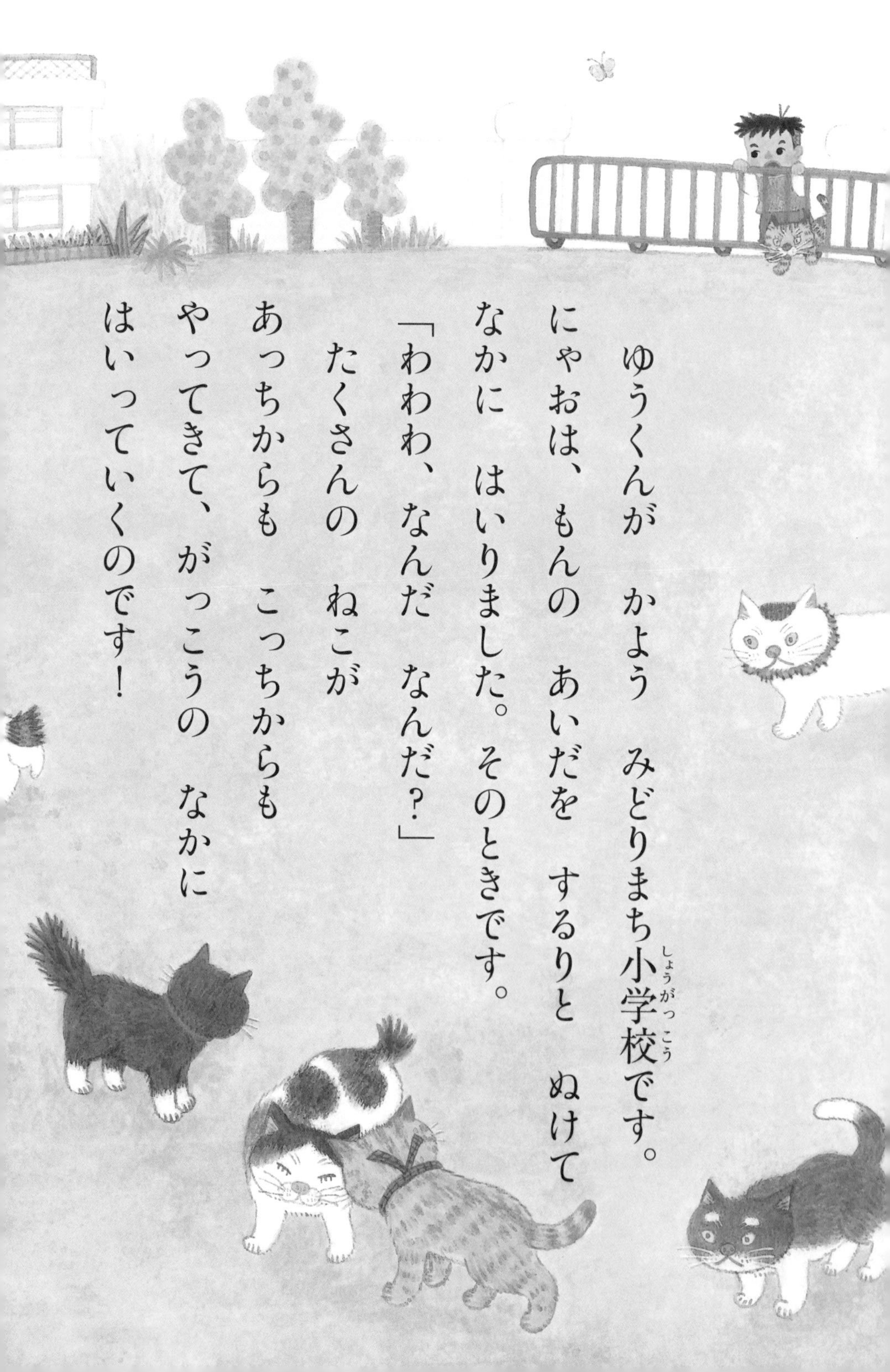

ゆうくんが　かよう　みどりまち小学校（しょうがっこう）です。
にゃおは、もんの　あいだを　するりと　ぬけて
なかに　はいりました。そのときです。
「わわわ、なんだ　なんだ？」
たくさんの　ねこが
あっちからも　こっちからも
やってきて、がっこうの　なかに
はいっていくのです！

しろねこ　くろねこ
ぶちねこ　しまねこ
みけねこ　とらねこ
さびねこ　まゆげねこ。
こうていは　ねこだらけ。
「どうなってるの？」

ゆうくんは　わくわく　どきどき。
こうていの　さくが　こわれているところを、
まえに　としくんと　みつけていました。そこへ
かけていって　さくを　くぐると、ねこたちを
おいかけました。

ゆうくんは　そっと
きょうしつを　のぞきました。
きょうしつは　ねこで　いっぱい。

おいかけっこする　ねこ、
ちょうちょと　あそぶ　ねこ、
ゆかに　のびーっと
ねころがる　ねこ。
にゃおは、ゆうくんの
いすで　まるくなっていました。
「にゃお」
ゆうくんが　よぶと、
ぱっと　おきあがりました。

「ゆうくん、『ねこねこがっこう』に
きちゃ　だめだよ」
「わっ、にゃおが　しゃべった！」
ゆうくんは　びっくり。
「ちがうよ。ゆうくんが、
ぼくの　ことばが
わかるんだよ。
たぶん、ねこねこがっこうに
いるときだけね」

にゃおが　おひげを　ぴんと　こすって
いいました。
「ここ、ねこねこがっこうじゃないよ。
みどりまち小学校だよ」
「にちようびは　ねこねこがっこうさ。
それより　ゆうくん、かえって。ここは
ぼくたちの　ひみつの　がっこうなんだから」
そのとき、大きな　ちゃいろの　ねこが
はいってきました。

「あっ、せんせいだ。
ゆうくん　かくれて！」
「せんせい？　となりの
かとうさんちの　ちゃちゃだよ」
ゆうくんは　わらって　いいました。

「はい　みなさん、せきに　ついてー」
ちゃちゃは　のしのし　あるいてくると、
やまだせんせいの　つくえの　うえに
とびのりました。
「みなさん　おそろいですね。では、
ねこねこがっこうを　はじめましょう。
……おや？　のぞいているのは
だれですか？」
「ぶにゃあ、にんげんだ！」

「どうしよう、ひみつを　みられちゃった」
ねこたちは、うにゃうにゃ　ないたり
あちこち　ぶつかったりしながら、そとへ
にげようとしました。そのとき、
ちゃちゃが　はなを　くんくん。
「うーん、いい　におい。
これは……さかなの　におい！」
「ほんとだ。いい　におーい」
みんな　めを　きらきらさせて

ゆうくんを　みつめます。
「あ、これ？」
　ゆうくんは
ポケットから、にぼしの
ふくろを　だしました。
けんかを　するまえに
としくんが、
「にゃおに　あげる」
って　くれたのです。

「ごろにゃーん、おいしそう。
ちょうだい　ちょうだい」
みんな、とびあがったり　つめを
バリバリ　といだりして　だいこうふん。
ゆうくんは　きょうしつに　はいると、
にぼしを　ひとつずつ　あげました。
「ねえ　せんせい。こんな　おいしいもの
くれたんだから、ここに　いても　いいでしょ？
ゆうくん、としくんと　けんかしちゃって

ひまなんです」
にゃおが　にぼしを
ボリボリ　かじりながら
いいました。
「にゃお、
けんかしたこと
どうして　しってるの？」
「ぼく、ゆうくんのことは
なんでも　しってるよ」

「しかたないですね。とくべつですよ」

ちゃちゃが　いったので、ゆうくんは　にゃおを

ひざに　のせて　いすに　すわりました。

「一じかんめは　おんがく。

『のどを　ならす　れんしゅう』です」

ちゃちゃが　いいました。

「えーっ、そんなこと　れんしゅうしてるんだ？」

ゆうくんが　びっくりして　いいました。

「あたまを　なでてもらったり　きぶんが

いいときは、のどが　ゴロゴロ　なりますね。
にんげんは　この　おとが
だいすきです。じょうずに
ならすと　うんと　よろこんで、
ずーっと　なでてくれたり
おやつを　くれるかもしれません」
「わあ、おやつ!?」
ねこたちは　はりきって
のどを　ならしはじめました。

ゴロゴロゴロゴロゴロ……。
こもりうたのように　きもちのいい　おとです。
ちゃちゃは　きょうしつを　あるきまわって
ひとりずつ　おしえます。

「もっと　やさしく　ならして」

「うっとりした　かおで」

「はなを　ブウブウ　ならさない！」

なかなか　きびしい
せんせいです。にゃおも、

「はなの　あなを
ふくらませない！」
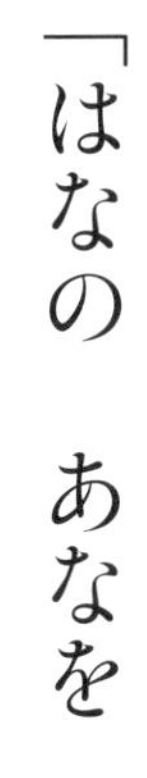
なんて　いわれています。
「ゆうくんも
やってみなさい」
「えーっ、できるかなあ」
がんばってみたけれど
どうしても
できません。

「のどを　ならせないなんて、にんげんは　だめだね」
となりの　まるが　ふふんと　わらいました。
「まる！　ゆうくんは　だめじゃないよ！」
にゃおが　しっぽを　ぶわっと　ふくらませて
まるに　とびかかりました。ふたりで
ころげまわって、ひっかいたり　けとばしたり。

「こらこら、
けんかしないで」
ゆうくんは　あわてて
にゃおを　だっこして　たちあがりました。
「じゃあ、かわりに　うたいます」

みんなの　まえで　うたを
うたうなんて、ほんとうは
はずかしくて　いやでした。
でも、にゃおのためです。
「♪ちょうちょ
ちょうちょ
なのはに　とまれ
なのはに　あいたら
さくらに　とまれ……」

にゃおも　やっと　おちついて、
うたに　あわせて　ゴロゴロゴロ。
「わあ、いい　うた。
ふたりとも　じょうず」
ねこたちが　しっぽを　ぱたぱた　ふりました。
「なかなか　けっこうでした」
ちゃちゃも　大きく　うなずきます。
ゆうくんは、にゃおと　かおを　みあわせて
にっこりしました。

二じかんめは　たいいくです。

みんな　きょうしつを　とびだして、こうていの大きな　木の　したに　あつまりました。

「きょうは　木のぼりを　します。木の　みきにつめを　ひっかけて　のぼるんですよ。木のぼりができれば、カーテンも　あみども、かべだってのぼれるようになります。がんばってください」

「はあい」

なかなか　のぼれない　ねこも　いましたが、

みんな　いちばん　したの　えだまで　のぼることが
できました。
「ゆうくんは　これを　のぼりなさい」
ちゃちゃが　みあげたのは、のぼりぼうです。
「えーっ」
ゆうくんは　まゆを　しかめました。のぼりぼうが
にがてなのです。しかたなく　ぼうを　にぎると、
えいっと　あしを　からませました。でも　すぐに
すべりおちてしまいました。

「はあー、できないや」
「ゆうくーん、はだしで
やってごらん」
にゃおが　木の
うえから　いいました。
「ねこは　みんな
はだしだよ」
「そっか」

ゆうくんは　くつと　くつしたを
ぬいで、のぼりぼうに
つかまりました。すると、
あしの　うらで　ぼうを　しっかり
はさむことができました。
「あっ、できた」
「ゆっくり　のぼるんだよ。がんばれ　がんばれ」
にゃおが　おうえんします。
ゆうくん、はじめて　はんぶんまで　のぼれました。

「やった　やった　やったー！」
にゃおは　木の　てっぺんまで　かけのぼりました。
「れんしゅうすれば、てっぺんまで
のぼれるように　なりますよ」

ちゃちゃが　いいました。

「うん！　がんばるよ」

ゆうくんが　すべりおりると、ねこたちも　木(き)から
おりました。でも、にゃおだけ　おりてきません。

「お、おりられにゃい……」

あんまり　たかいところまで　のぼったので
こわくなったみたいです。

「にゃおーん　にゃおーん　どうしよう」

「つめを　しっかり　たてて　おりれば
だいじょうぶ」
ちゃちゃに　いわれて、そーっと
おりはじめました。
「ゆっくり　おりるんだよ。がんばれ　がんばれ」
ゆうくんが　おうえんします。
にゃおは　ときどき
とまったり、
きょろきょろしたり。

さいごは　じめんに　ジャンプ！
「よく　がんばった　がんばった」
ゆうくんは　にゃおを　ぎゅーっと
だきしめました。
「ゆうくんも　よく
がんばった　がんばった」
にゃおは　もう
けろりとして
いいました。

「三じかんめは　どうとく。『けんかを　した
ともだちと　なかなおりする　ほうほう』です。
みなさん、ともだちと　けんかを　したと
おもってください」
にゃおは　まるを　ちらっと　みました。
一じかんめに　けんかを　した　ねこです。
まるは　そっぽを　むいています。
「まず、ごめんねという　きもちで
ともだちを　なめましょう」

ちゃちゃが　いうと、
にゃおが　まるに
そっと　ちかづいて、
おでこを　ぺろっと
なめました。
まるも
にゃおの　みみを
ぺろっと
なめました。

「そうそう、みなさん
じょうずですよ。
よーく　なめたら、くっついて
ねむりましょう。これで　もう
なかなおりです」

にゃおと　まるは
きょうそうするように　ぺろぺろ
なめあいます。やがて　大(おお)きな
あくびを　すると、

おでこと　おでこを　くっつけて、
すうすう　ねむってしまいました。
きょうしつじゅうの　ねこが
なかよく　ねむっています。
まどから　おひさまの　ひかりが
さしこんで、みんなを
ぽかぽか　あたためます。
「ふわあ～」

ゆうくんも　あくびを　すると、にゃおに
くっついて　めを　とじました。にゃおの
せなかの　あたたかさが、ゆうくんに
つたわってきます。あんまり　きもちよくて
ゆうくんは　いつのまにか　ねむってしまいました。

「むにゃむにゃ……　つぎは　なんの　じかん？」
ゆうくんが　めを　さましたら、きょうしつは
からっぽでした。

「あれ？
みんな　かえったのかな？」
あわてて　がっこうを
とびだしました。すると、まえから
あるいてきたのは、としくんです。
ゆうくんを　ちらっと
みて、そっぽを
むきました。

（まだ　おこってるのかな。
ぼくだって　おこってるぞ）
ゆうくんも　そっぽを　むきました。
すると、へいの　うえに　にゃおと　まるが
いました。ゆうくんを　じーっと　みつめています。
（そっか。にゃおたちも　なかなおりしたもんなあ）
ゆうくんは、としくんの　よこで　たちどまりました。

それから　みぎてを　のばして、
「ごめんね」
ゆうきを　だして　いいました。
すると　としくんは、
「ぼくも　ごめんね」
ゆうくんの　てを　にぎりました。
としくんの　てのひらの
あたたかさが、ゆうくんの
てのひらに　つたわってきます。

「こうえんで　あそぼう」
としくんが　いいました。
「うん。いこう！」
ならんで　はしりかけたとき、
ゆうくんは　にゃおを
ふりかえりました。
「にゃお、としくんと
なかなおりしたよ」
すると、にゃおは

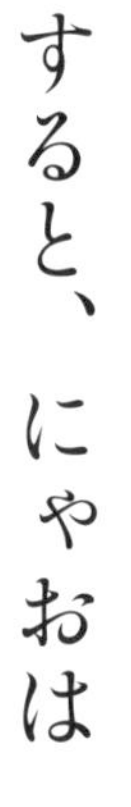

まんまるの　めで、
「にゃお　にゃおーん」
なんだか　うれしそうに
なきました。

**苅田　澄子**（かんだ すみこ）

出版社勤務の後、フリーで編集をしながら児童文学作家・小沢正氏に師事。絵本作品に『いかりのギョーザ』（大島妙子 絵／佼成出版社）、『じごくのラーメンや』（西村繁男　絵／教育画劇）、『ことりのデパート』（まるやまあやこ 絵／世界文化社）、「だいぶつさま」シリーズ（中川 学 絵／アリス館）など。つちだのぶこ氏との作品に『おんなじ　おんなじ　おんなじね』（学研）、『かさじおやぶん　いっけんらくちゃく！』（小学館）、『へっこきへのた』『さかさまがっこう』（ともに文溪堂）などがある。

**つちだ　のぶこ**

絵本作品に『でこちゃん』（PHP 研究所）、『ぼくんちカレーライス』（佼成出版社）、『ポッケのワンピース』（学研）、『あれ　あれ　あれれ』（ポプラ社）、『やまのやまびこ』（偕成社）、『ぎゅうぎゅうかぞく』（ねじめ正一　作／鈴木出版）など。
さし絵作品に「くだものっこ」シリーズ（たかどのほうこ　作／フレーベル館）、『サトウハチロー』（萩原昌好　編／あすなろ書房）などがある。

ねこねこがっこう

---

2023年8月　初版 第1刷発行
2024年6月　　　 第2刷発行

**作家**　苅田 澄子
**画家**　つちだ のぶこ
**発行者**　水谷 泰三
**発行**　株式会社**文溪堂**　〒112-8635　東京都文京区大塚 3-16-12
TEL（03）5976-1511（編集）（03）5976-1515（営業）
ホームページ https://www.bunkei.co.jp
**装丁**　佐野 裕哉
**編集**　大場 裕理
**印刷**　TOPPAN株式会社
**製本**　株式会社　若林製本工場

---


NDC913/47P　216 × 151mm　ISBN 978-4-7999-0476-3